Het geheim van de struikrovers

PSSST! *Kun jij een geheim bewaren?*

LEES OOK:

Het geheim van Zwartoog – Rindert Kromhout
Het geheim van de boomhut – Yvonne Kroonenberg
Het geheim van het verdronken dorp – Tomas Ross
Het geheim van de snoepfabriek – Selma Noort
Het geheim van het kasteel – Chris Bos
Het geheim van de raadselbriefjes – Rindert Kromhout en Pleun Nijhof (winnares schrijfwedstrijd 2003)
Het geheim van het donkere bos – Rindert Kromhout, Chris Bos, Martine Letterie, Tomas Ross
Het geheim van de roofridder – Martine Letterie
Het geheim van Anna's dagboek – Tamara Bos
Het geheim van de kruitfabriek – Hans Kuyper
Het geheim van de verdwenen muntjes – Rindert Kromhout
Het geheim van het spookhuis – Selma Noort & Rosa Bosma (winnares schrijfwedstrijd 2004)
Het geheim van de muziek – Hans Kuyper, Anna Woltz, Haye van der Heyden, Tamara Bos
Het geheim van ons vuur – Anna Woltz

Wil jij GEHEIM*-nieuws ontvangen? Meld je aan op:*
www.geheimvan.nl

Chris Bos

Het geheim van de struikrovers

Met tekeningen van Saskia Halfmouw

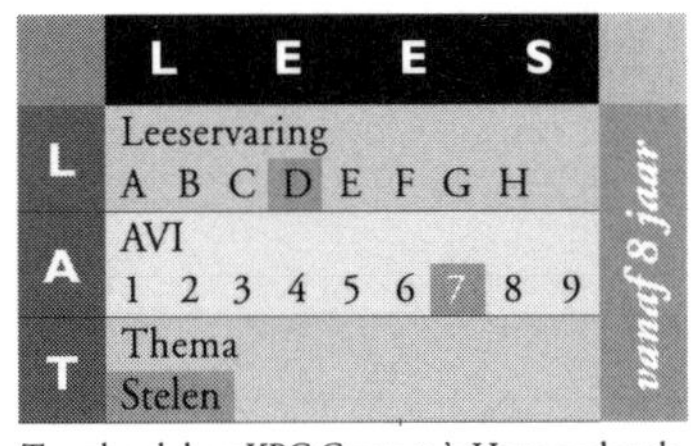

Toegekend door KPC Groep te 's-Hertogenbosch.

Eerste druk 2004

Omslagontwerp: Rob Galema
Uitgeverij Leopold, Amsterdam
ISBN 90 258 4455 3 / NUR 282

Inhoud

Rijker dan wij

'Jullie zijn echt niet rijker als ons,' zegt Jordi.

'Dan wij,' zegt Bo.

'Dat zei ik toch!'

'Nee, jij zei *als ons*, maar het is *dan wij*.'

'Dan wij,' zegt Jordi. 'Dat zeggen alleen kakkers en ik ga echt geen kakker worden.'

'En je was toch zo rijk?' zegt Bo.

Bo kan heel verwaand kijken. Dat is Jasper al vaker opgevallen. Vooral als ze tegen Jordi praat, dan kijkt ze superarrogant.

Dat komt doordat Bo iedereen die van sport houdt debiel vindt. Bo *haat* sport. Niet alleen op tv, maar ook in het echt. Zelfs gym vindt ze stom.

'Wij zijn geen kakkers,' zegt Jordi. 'Maar we zijn wel rijker als jullie.'

'*Dan* jullie.'

'Want wij gaan altijd met het vliegtuig op vakantie en jullie niet,' zegt Jordi.

Dat is waar. Jasper en Bo hebben nog nooit gevlogen, maar dat komt door Maarten, de vader van Jasper en Bo.

'Als we willen kunnen we best een vliegtuig betalen hoor,' zegt Bo. 'Maar we willen gewoon niet. Vliegen is echt *zo* debiel. En geld maakt trouwens helemaal niet gelukkig.'

'Geld niet,' zegt Jordi. 'Maar wat je ermee kunt kopen wel.'

Ondertussen weten ze nog steeds niet wat ze gaan doen. Dat is het rare van de herfstvakantie: op de eerste vrije ochtend verveel je je al te pletter.

Voor de vakantie dacht Jasper nog dat ze de hele week verstoppertje zouden doen en voetballen en pingpongen. Maar het lukt niet. Nu de vakantie begonnen is, hebben ze nergens zin in.

Behalve Carmen, die leest lekker door. Carmen woont ook naast Bo en Jasper, aan de andere kant. Pas een half jaar, maar het lijkt alsof ze er altijd al was. Zoals ze nu in die stoel hangt en zich met niemand bemoeit, lijkt het zelfs net of ze bij hen woont.

Soms denkt Jasper stiekem dat hij liever Carmen als zus had gehad. Niet alleen omdat Carmen van sport houdt, maar ook omdat ze niet zo kattig is als Bo. En ze ziet er ook mooier uit.

Carmen leest *Robin Hood*. Het boek is van Bo, maar die heeft het al uit. Lezen is zo ongeveer het enige waarin Bo heel snel is. *Robin Hood* heeft ze al tien keer gelezen, want dat is haar lievelingsboek. Het is nog van Nicole geweest. Dat was de moeder van Bo en Jasper.

Jasper is wel eens in *Robin Hood* begonnen, maar hij houdt niet zo van al die ouderwetse woorden. Wel van de plaatjes. De tekeningen van Robin Hood zijn de beste die hij ooit in een boek heeft gezien.

'Zullen we naar buiten gaan?' zegt Jordi.

'En dan?' vraagt Jasper.

'Gewoon,' zegt Jordi. 'Iets doen. Voetballen.'

Niemand geeft antwoord, dus dan is het afgekeurd. Maar eigenlijk heeft Jasper wel zin.

‘Kom op,’ zegt hij. ‘Dan gaan we met z’n tweeën.’
Hij staat op en trekt z’n schoenen aan.
‘Wat ga je doen?’ vraagt Bo, als ze de kamer uit lopen.
‘Voetballen.’
‘En wij dan?’
‘Je mag wel meedoen,’ zegt Jordi.
‘Ja dûh,’ zegt Bo. ‘Weet je niks spannenders?’
‘Penalty schieten?’ zegt Jordi, maar Bo luistert al niet meer. Ze denkt na en kijkt geheimzinnig.

'Ik weet wat,' zegt ze.

'Wat dan?' vraagt Jordi.

'Iets spannends, iets veel spannenders dan voetjeballen.'

'Wat dan?'

'Iets wat we nog nooit eerder hebben gedaan.'

'Wat dan?'

'En het is een beetje gevaarlijk.'

'Zeg dan!'

'Stelen,' zegt Bo triomfantelijk.

'Stelen?' vraagt Jasper verbaasd.

'Stelen van de rijken.'

'Ja dag,' zegt Jordi. 'Stelen van de rijken, wie doet dat nou.'

Jasper vindt het ook niks. Al heeft Bo wel vaker ideeën die in het begin superstom lijken, maar later toch leuk zijn.

'Mij best, Jordi,' zegt Bo. 'Dan doe je toch niet mee? Als je nou echt niet durft...'

'Het gaat niet om durven,' begint Jordi. 'Het gaat om...'

Hij kijkt omlaag alsof hij hoopt dat de woorden uit de vloer komen kruipen.

'Lef,' zegt Bo. 'Precies Jordi, het gaat om lef. En dat heb jij nu eenmaal niet. Nooit gehad ook.'

Jasper snapt niet waarom Bo de pik heeft op Jordi. Het is al zo sinds de eerste dag dat ze buren waren.

Net als hun vaders, denkt Jasper. Maarten vindt het stom dat de vader van Jordi altijd over *dingen* praat. Hoeveel ze kosten en bij welke winkel ze het goedkoopst zijn.

Over auto's en computers en beltegoeden en boormachines.

Eerlijk gezegd vindt Jasper dat wel interessant, maar Maarten niet. Die praat liever over boeken of muziek. Of over hoe het is als je vrouw plotseling overlijdt en je opeens alles alleen moet doen.

'Ik *durf* het wel,' zegt Jordi. 'Maar het *mag* gewoon niet. Stelen is verboden. Dan krijg je de politie op je dak.'

'Er mag zo veel niet,' zegt Bo. 'Maar soms moet het gewoon. Kijk maar naar Robin Hood. Daar heb jij natuurlijk nog nooit van gehoord.'

'Echt wel,' zegt Jordi. 'Dat is die houten achtbaan in Sixflags. Daar ben ik al zo vaak in geweest.'

Bo schiet in een neplach.

Jasper kent die lach maar al te goed. Zo lacht Bo als ze vindt dat iemand een stom antwoord geeft.

'Robin Hood een achtbaan!' Bo giert het uit. 'Die denkt dat Robin Hood een achtbaan is.'

'Dat is ook zo,' zegt Jordi. 'Wedden?'

Dan komt Jaspers vader de kamer in.

'Maarten,' zegt Bo. 'Is Robin Hood een achtbaan of een roverhoofdman?'

'In mijn tijd was het de koning der dieven,' lacht Maarten. 'Maar ja, ik ben een ouwe man.' Hij loopt expres krom en bibberig de keuken in.

'Zie je nou wel.' Bo steekt haar tong uit tegen Jordi.

De armen van Esperanza

'Wie is die Robin Hood van jou dan?' vraagt Jordi.

'Hij was een soort struikrover,' zegt Bo.

'Maar hij was geen echte dief,' zegt Jasper.

'Nee,' zegt Bo. 'Hij stal van de rijken en deelde de spullen uit aan de armen. Het stikte van de armen in die tijd. Ze hadden geen geld om iedere dag eten te kopen en ze droegen vodden. De kinderen hadden allerlei ziektes of ze gingen meteen dood na de geboorte.'

'Dan kun je ze toch inenten,' zegt Jordi.

'Ja hoor Jordi, inenten,' zegt Bo. 'In de Middeleeuwen zeker.'

'Dat had je nog niet verteld.' Jordi kijkt boos. 'Hoe kan ik nou weten dat het in de Middeleeuwen was.'

'Je laat me ook niet uitpraten,' zegt Bo.

Soms lijkt Bo net een juf van school, vindt Jasper. Niet hun eigen juf, maar dat mens van handvaardigheid. Die kan ook zo kwaad kijken als Jasper per ongeluk meer lijm op de tafel smeert dan op zijn knutselwerkje.

'Iedereen even opletten, dan ga ik verder,' zegt Bo. 'Robin Hood woonde dus in Sherwood Forest, een heel groot bos. En daaromheen woonden allemaal stinkrijke mensen. Ridders en graven en baronnen met gouden koetsen en idiote hoeden. De hertog was de baas en dat was een hele gemene vent. Hij liet iedereen belasting betalen, ook de arme mensen.'

'Maar die hadden toch niks?' zegt Jasper.

'Precies, dat was juist het gemene. Want als ze niet konden betalen, moesten ze hun kinderen verkopen. Die gingen dan als slaaf op de boot naar Amerika.'

'Echt?' zegt Jasper. In het boek staan helemaal geen plaatjes van boten.

'Of de politie zette die mensen uit hun huis. Dus dan waren ze dakloos. En dan gingen ze in het bos wonen. In een hut. Bij Robin Hood.'

'Dan kun je toch de *Daklozenkrant* verkopen,' zegt Jordi. 'Die lui verdienen meer als je denkt.'

'*Dan* je denkt!' zucht Bo.

'Boeit niet,' zegt Jordi.

'En toen?' vraagt Jasper.

'Af en toe moesten die rijke stinkerds door het bos van Robin Hood. Bijvoorbeeld als ze van het ene feestmaal naar het andere gingen, of naar een riddertoernooi. Als ze dan midden in het bos waren, lokte Robin Hood ze in een hinderlaag. Dan moesten ze al hun geld en juwelen afgeven. En soms ook hun dure kleren.'

'Hoe moesten ze dan verder?' vraagt Jasper.

'In hun blote reet natuurlijk,' lacht Jordi.

'En die spullen verdeelde Robin Hood onder de arme mensen in het bos. En ze leefden nog lang en gelukkig, amen!'

'Ik zie de koningin al in haar blote kont door het bos rennen.' Jordi waggelt met wiebelbillen door de kamer.

'Robin Hood was trouwens verliefd,' zegt Bo. 'Op de kokkin, en die kon heel goed boogschieten. Net als Robin Hood zelf, die was kampioen boogschieten van heel Engeland.'

Dat is waar, die twee staan ook op een tekening, Jaspers lievelingsplaatje. Dan zie je Robin Hood met een mooie vrouw in zijn armen. Hij draagt een grappig hoedje met een lange veer. En het allermooist zijn z'n laarzen, die komen tot boven z'n knieën. Een soort zevenmijlslaarzen, maar dan in de goeie maat. Met die laarzen kun je onhoorbaar sluipen.

Dat is het rare, vindt Jasper. Hij weet zeker dat ze van hetzelfde zachte leer zijn als het jasje van Nicole. Dat hangt nog steeds aan de kapstok, onder de andere jassen.

'Hoe heette die?' vraagt Jordi.

'Wie?'

'Die verloofde?'

Bo denkt na. Het lijkt wel of ze het niet meer weet.

Jasper weet het ook niet, alleen hoe ze eruitziet. Lang zwart haar en blauwe ogen, net als een filmster. Als hij lang naar die tekening kijkt wordt hij zelf Robin Hood en houdt hij dat meisje in z'n armen.

'Ze noemden haar Maid Marian,' zegt Bo. 'Maar dat was een schuilnaam, want eigenlijk heette ze Esperanza de la Billebips.'

'Esperanza?' zegt Jordi. 'Wat een kaknaam.'

'Tja Jordi, we kunnen nu eenmaal niet allemaal Gerco heten,' zegt Bo.

'Zo heet ik ook helemaal niet,' zegt Jordi meteen.

'Nee, maar het is wel je tweede naam.'

'Hij heeft ook een paard,' zegt Carmen terwijl ze gewoon doorleest.

'Eén paard?' zegt Bo. 'Wel vijf! Drie merries en twee hengsten. Ook allemaal gejat van die rijken.'

'Cool!' zegt Carmen.

Carmen is een paardrijgek. Haar hele kamer hangt vol foto's van paarden en veulens.

'Maar wat gaan we nou eigenlijk doen?' vraagt Jordi.

'Naar het bos natuurlijk!' roept Bo.

Je geld of je leven!

Als ze in de achtertuin zijn en net over het hek willen stappen, schiet Jasper iets te binnen.

'We moeten allemaal een pijl en boog mee,' zegt hij. 'Net als Robin Hood.'

'Die hebben we toch niet?' zegt Carmen.

'Nee,' zegt Jasper. 'Dus die moeten we maken.'

Hij gaat meteen naar de schuur. Daar pakt hij de heggenschaar en loopt ermee de tuin in. Hij zoekt een goeie struik uit en knipt er een rechte tak af, eentje zonder zijtakken. Alleen aan het eind zitten nog wat bladeren, maar die kan hij er makkelijk aftrekken.

Dan gaat hij terug naar de schuur. Op de werkbank ligt een oud mes. Daarmee maakt hij in allebei de uiteinden van de tak een snee. Uit een kastje haalt hij touw. Hij knipt een stuk af en legt in de twee eindjes een knoopje. Het ene knoopje haakt hij aan de ene kant van de tak, dan buigt hij de tak tot een boog. Touwtje aan de andere kant vastmaken en klaar is Kees.

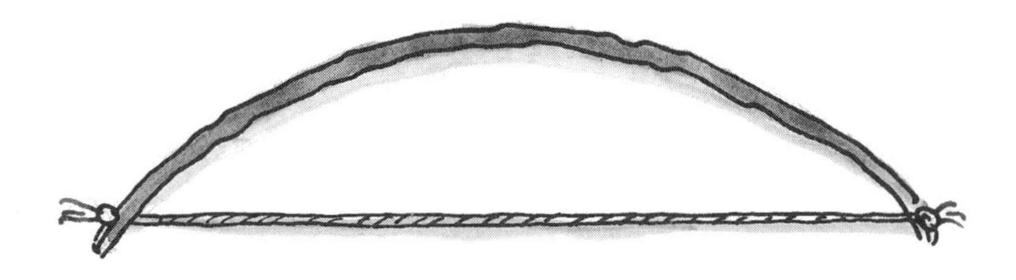

'Nu nog pijlen,' zegt Carmen.

Jasper gaat de tuin weer in en hij knipt nog meer takken af. Met het zakmes maakt hij er scherpe punten aan.

Ondertussen hebben de anderen ook een boog gemaakt. Jordi heeft natuurlijk de grootste.

'Zag je die?' roept hij trots. Zijn eerste pijl vloog over de bomen heen.

'Nou ik,' zegt Bo. Haar pijl zwabbert door de lucht en haalt het hek niet eens.

'We hebben een schietschijf nodig,' zegt Jordi. 'Dan kunnen we een wedstrijdje doen.'

Hij haalt een leeg verfblik uit de schuur en zet dat op het plankje van de schommel. Ze schieten om de beurt. Wie raak schiet, krijgt een punt. Valt het blik eraf, dan krijg je drie punten.

Alleen Jordi lukt het. Dat had Jasper wel verwacht. Jordi kan altijd het beste richten, ook met voetballen, sjoelen en kersenpitten tuffen.

'Ik vind het saai worden.' Bo heeft nog steeds nul punten. 'Zullen we eindelijk gaan doen wat we hadden afgesproken?'

'Nee,' zegt Carmen. 'We moeten ook nog maskers.'

Dat is gelukkig gauw gepiept. Ze knippen een oude poetslap in vier repen. In iedere reep maken ze twee kijkgaten. Daarmee zijn ze onherkenbaar.

'Maar dat doen we pas in het bos,' zegt Jasper. 'Als we in hinderlaag liggen. Wie is trouwens Robin Hood?'

'Niemand,' zegt Bo.

Dat is een tegenvaller voor Jasper. Hij had gehoopt dat hij Robin mocht zijn. En Carmen zou een goeie Espe-

ranza zijn. Dan konden zij tweeën het geld uitdelen aan de armen.

'Ja sorry hoor,' zegt Bo. 'Je doet net of het een spelletje is.'

Dat dacht Jasper eerlijk gezegd ook.

'Mooi niet dus,' zegt Bo. 'We gaan dus wel *echt* geld stelen voor de armen.'

Het blijft even stil.

'Welke armen bedoel je eigenlijk?' vraagt Carmen dan.

'Wat dacht je van de dakloze kinderen in Iran?'

Dat is waar, die hebben helemaal niks meer, omdat hun huis is ingestort bij de aardbeving. Zoals dat ene meisje in het Jeugdjournaal, dat had alleen nog een klein babyzusje. Haar vader en moeder en al haar andere broers en zussen waren dood.

Een beetje stilletjes gaan ze op weg.

Jasper heeft kriebels in z'n buik, net als vlak voor een spreekbeurt. Eigenlijk heeft hij niet meer zo'n zin om struikrover te worden, maar het kan niet anders. Ze moeten geld ophalen, zodat de kinderen in Iran weer een huis kunnen bouwen.

Ze zijn over het hek gestapt en steken de akker over naar het bos. Ze lopen door de varens tot ze bij een breed pad komen. Dat volgen ze verder het bos in.

'Hier,' zegt Bo. 'Dit is een goeie plek.'

Ze heeft gelijk, ziet Jasper. Het pad wordt nauwer en aan weerskanten staan hoge struiken. Daar kunnen ze zich goed in verstoppen.

'Jasper en ik hier,' zegt Bo. 'En Carmen en Jordi aan de overkant. Als er mensen aankomen springen jullie vlak voor hen op het pad. Meteen daarna springen wij achter hen, zodat ze zijn omsingeld.'

Ze doen hun maskers voor en verstoppen zich in de struiken.

Jasper gluurt tussen de takken door naar het pad. Niemand te zien.

Hij krijgt het warm. Het masker prikt. En het stinkt naar verf. Bovendien moet hij plassen. En eigenlijk ook poepen.

'Ik moet plassen,' fluistert hij.

'Ga dan,' zegt Bo.

Net als Jasper uit de struik kruipt, komen er mensen om de bocht. Meteen duikt hij terug.

Het zijn twee vrouwen. Ze lopen niet erg hard. Toch hebben ze splinternieuwe sportschoenen aan en zweetbanden om hun hoofd.

Jasper kijkt naar Bo, maar hij ziet alleen haar masker. Zouden dit rijke vrouwen zijn?

De vrouwen komen steeds dichterbij, Jasper hoort ze kwebbelen.

'Wat doen we?' fluistert hij.

'Sst!' sist Bo.

Ze zijn er bijna.

'Dus toen ben ik naar de teamleider gestapt, want ik had zoiets van: dat kun je niet *maken*,' zegt de ene vrouw. 'Zo ga je toch gewoon niet met mensen om!'

Het volgende moment bewegen de struiken aan de overkant. Jordi komt te voorschijn. Hij springt op het pad.

'Halt!' schreeuwt hij en hij steekt z'n armen uit.

De vrouwen schrikken net zo erg als Jasper. De ene stopt zelfs even, maar begint dan te lachen.

Meteen daarna ritselt het weer in de struiken en springt Carmen op het pad, vlak achter de vrouwen.

'Je geld of je leven!' schreeuwt ze.

'Goeie genade,' zegt de ene vrouw. 'Is me dat schrikken.'

'Zeg dat wel,' zegt de andere. 'Durven jullie wel?'

Dan lopen ze lachend langs Jordi heen.

'Dat is waar ook,' zegt de ene. 'Het is herfstvakantie.'

Jasper ziet hoe Jordi een pijl pakt. Jordi mikt. Jordi schiet.

Jasper houdt zijn adem in. De pijl zoeft schuin omhoog en verdwijnt in de bladeren. In de verte dribbelen de vrouwen de bocht om.

Dit is een overval!

'Waar bleven jullie nou!' Jordi heeft z'n masker afgedaan, iedereen trouwens.

'Waar bleven jullie nou,' aapt Bo hem na.

'Je durfde zelf zeker niet,' zegt Jordi.

'Jordi,' zegt Bo langzaam. 'Wat hadden we nou afgesproken? We zouden *rijke* mensen overvallen.'

'Nou en?'

'Waren dit rijke mensen volgens jou?'

'Weet ik veel. Volgens mij wel.'

'Jordi, dit waren twee ouwe mutsen. Misschien waren het wel zwerfsters.'

'Zwerfsters?' vraagt Carmen verbaasd.

'Zag je niet hoe ze eruitzagen. Die ene met die slobbertrui en die roze legging.'

'Toch schrokken ze wel,' zegt Jordi.

'Ja hoor Jordi, maar daar hebben we niks aan. Voortaan springen we pas tevoorschijn als ik het sein geef.'

'En wat is dan het sein?'

Bo doet het voor. Het is een hoge gil, het geluid dat Maarten altijd indianengehuil noemt.

Ze gaan weer de struiken in.

Het pad is leeg, geen kip te zien. Het masker begint weer te kriebelen.

Eigenlijk is het nogal saai, vindt Jasper. Hij had gedacht dat het spannend zou zijn om mensen te beroven. Maar eigenlijk zit je de halve tijd te wachten. En hij moet nog steeds naar de plee.

'Ik moet plassen.'

'Ga dan!'

Jasper wurmt zich weer uit de struiken. Hij loopt een eindje over het pad, weg van de anderen. Dan ziet hij een geschikte boom, een dikke beuk. Hij loopt erheen en ritst z'n gulp open. Hij mikt op de boom en de straal spettert lekker tegen de groene stam.

'Pas maar op dat die boom niet omvalt.'

Van schrik vergeet Jasper te richten. Via de boom spatten er druppels op z'n schoenen.

Over het pad loopt een meneer met een hondje. Het hondje wil op Jasper af, maar gelukkig zit hij aan de lijn.

'Hier Fritzie, zoek jij maar een andere boom,' zegt de meneer.

Ondertussen doet Jasper snel z'n gulp dicht. Iets te snel, want het vel van z'n piemel komt tussen de rits. Hij gilt van de pijn.

De meneer blijft staan.

'Gaat het?' vraagt hij bezorgd.

Jasper mompelt wat. Gauw doet hij de rits weer open en moffelt zijn piemel goed in z'n onderbroek. Het schrijnt flink. Als het maar niet bloedt.

'Jihaa!'

Over het pad komt iemand aanrennen. Iemand met een masker voor en een pijl en boog in de aanslag. Het is Jordi.

'Je geld of je leven,' schreeuwt hij en blijft voor de meneer staan. Het hondje begint te blaffen.

'Koest Fritzie,' zegt de meneer. 'Het is maar een spelletje.'

'Echt niet!' schreeuwt Jordi. 'Dit is een overval!'

'Misschien moet je eerst even je vriendje helpen, die heeft zich nogal bezeerd, geloof ik.'

'Het gaat wel weer,' zegt Jasper.

'Nou, veel plezier dan maar.' De meneer wandelt verder. Als hij de hinderlaag voorbij is, komen Bo en Carmen ook tevoorschijn.

'Wat deed je nou, Jordi,' roept Bo. 'Ik had toch helemaal geen sein gegeven!'

'Nee, jij niet,' zegt Jordi. 'Maar Jasper wel!'

'Echt niet,' zegt Jasper.

'Echt wel!' zegt Jordi. 'Ik hoorde je gillen.'

'O dat,' zegt Jasper en hij voelt dat hij een rood hoofd krijgt.

De eerste buit

'Volgens mij was dat trouwens ook geen rijke meneer,' zegt Carmen.

'Wie zegt dat?' vraagt Jordi.

'Dat zag je toch aan dat hondje,' zegt Carmen. 'Rijke mensen hebben windhonden, of van die duffe poedels, maar nooit gewone lieve hondjes die met je willen spelen.'

'Zou kunnen,' zegt Bo. 'Maar dit werkt dus niet. Zo krijgen we nooit genoeg geld bij elkaar.'

Daarom gaan ze terug naar de achtertuin. Carmen zet het verfblik weg en gaat op de schommel zitten. Jordi pulkt met het uiteinde van z'n boog in het zand.

Jammer, denkt Jasper. Even leek het alsof het toch nog een leuke vakantie ging worden. Nu vervelen ze zich weer te pletter. En voor de arme kinderen in Iran is het ook jammer.

En opeens heeft Jasper een idee. Hoe het komt weet hij niet. Misschien is het idee opeens in z'n hoofd gesprongen.

Of misschien heeft het meisje in Iran het idee in een onzichtbaar raketje naar hem toe geschoten. Hoe dan ook: het is de beste oplossing, dat voelt Jasper meteen.

'Als de rijken niet naar ons komen,' zegt hij. 'Dan gaan wij wel naar de rijken.'

'Hoe bedoel je?' vraagt Jordi.

‘Dat is toch logisch?’ zegt Carmen. ‘Als we in hinderlaag blijven liggen, kunnen we lang wachten. Er komt toch nooit een rijke opdagen. Dus dan moeten we zelf naar de rijken gaan.’

Dat is het leuke van Carmen, vindt Jasper, ze snapt alles meteen.

‘Welke rijken bedoel je dan?’ vraagt Jordi.

‘Jouw vader en moeder bijvoorbeeld,’ lacht Bo. ‘Jullie zijn toch zo rijk?’

Jasper schrikt. Dat was niet wat hij bedoelde.

Jordi kijkt of Bo helemaal gek geworden is.

'Grapje,' zegt Bo.

'O,' zegt Jordi opgelucht. 'Ik dacht al.'

'Maar ik vind het wel een superidee van Jasper,' zegt Bo.

'Wie gaan we dan beroven?' vraagt Carmen.

'Gewoon,' zegt Jasper. 'Hele rijke stinkerds, die geld zat hebben.'

'Miljonairs dus,' zegt Carmen.

'Ja,' zegt Bo. 'Michael Jackson bijvoorbeeld, of de directeur van Albert Heijn.'

'Of voetballers,' zegt Jordi.

'Voetballers?' zegt Bo. 'Die zijn toch niet rijk?'

'Echt wel,' roept Jordi. 'Ronaldo verdient wel een miljoen euro per jaar.'

'Ja hoor Jordi,' zegt Bo. 'Een miljoen euro om een balletje in een netje te schoppen. Geloof je het zelf?'

'Jasper,' vraagt Jordi, terwijl hij pal voor Jaspers neus komt staan. 'Heb ik gelijk of niet?'

Jasper weet het niet. Sommige voetballers verdienen veel, maar of het één miljoen is, of tien miljoen, of drieduizendhonderdzevenenzeventig...

'Zou kunnen,' zegt hij.

'Zeker weten,' zegt Jordi. 'Ik zweer het je.'

'En waar woont die Rinaldo dan?' vraagt Bo.

'R*o*naldo,' zegt Jordi. 'Zie je wel, jij zegt zelf ook dingen fout.'

'Nou, vertel op,' zegt Bo. 'Waar woont die R*o*naldo?'

'In Spanje denk ik, want hij speelt bij Real Madrid.'

'In Spanje,' zegt Bo. 'En hoe komen wij in Spanje?'

Jordi weet het niet. Hij pakt de bal en begint ermee te stuiteren.

'Kom op,' zegt hij tegen Jasper. 'Laten we nou maar penalty's gaan schieten.'

'Tuurlijk Jordi,' zegt Bo. 'Laat de armen maar lekker stikken.'

'Ik kan er toch niks aan doen dat ze arm zijn?' zegt Jordi.

'Nee,' zegt Bo. 'Maar je kan er wel iets aan doen dat ze arm *blijven*.'

Dat is het knappe van Bo. Eerst lijkt het of Jordi gelijk heeft, maar altijd weet Bo iets te verzinnen waardoor dat niet zo is.

'Hier in de buurt wonen toch geen echte rijken,' zegt Jordi.

'O nee?' zegt Bo. 'Ik weet iemand die heel rijk is.'

'Lekker voor je,' zegt Jordi.

'Wie dan?' vraagt Jasper.

'Malle Eppie.'

Malle Eppie, dat is waar. Vroeger was hij boer, maar toen er huizen op zijn land moesten komen, heeft Eppie alles verkocht. Zijn koeien en zijn land. Nu woont Eppie nog steeds in de oude boerderij, midden tussen de nieuwe straten.

'Malle Eppie is toch niet rijk,' zegt Carmen.

'Nou en of,' zegt Jasper. 'Maarten zei het ook. Een heleboel huizenbouwers wilden de grond van malle Eppie kopen. Daarom kon hij er heel veel geld voor vragen.'

Jasper ziet malle Eppie vaak rijden. Op z'n krakkemikkige fiets en met zijn klompen aan. Hij ziet er niet bepaald rijk uit.

'Als je nu inbreekt ziet iedereen het,' zegt Jordi. 'Dat moet je 's nachts doen.'

'Precies,' zegt Bo. 'Daarom gaan we dadelijk onopvallend langs zijn huis lopen. En dan kijken we hoe we het beste binnen kunnen komen.'

Ze leggen hun pijl en boog in het schuurtje. Dat is nu hun hol, vindt Jasper. Hij haalt een oud gordijn uit een doos. Carmen pakt het meteen aan. Samen hangen ze het dwars door het schuurtje.

'Wat moet dat voorstellen?' vraagt Bo.

'Achter het gordijn is ons rovershol,' zegt Jasper. Hij pakt een paar blokken hout en een stel joekels van spijkers. Daar timmert hij krukjes van, voor ieder één. Behalve voor Carmen, want die wil haar eigen krukje timmeren.

Als het hol klaar is, gaan ze op weg naar de boerderij van malle Eppie.

Als ze vlakbij zijn haalt Jordi z'n masker uit z'n broekzak en bindt het om.

'Wat doe jij nou?' zegt Bo.

'We gaan hem toch besluipen,' zegt Jordi.

'Toch niet met een masker op! Dan ziet iedereen meteen wat we van plan zijn.'

Bij een heg blijven ze staan. Door de takken heen bekijkt Jasper de boerderij goed. Aan de voorkant zitten twee grote ramen, met daartussen de deur. In de zijmuur zitten ook twee ramen. Daarachter een binnenplaats en dan de schuur met kleine, halfronde raampjes.

Jasper voelt weer kriebels. Nu wordt het menens.

Ouwe meuk

'Ik eerst,' zegt Bo.

Jasper ziet hoe Bo langzaam doorloopt. Steeds kijkt ze naar de boerderij. Bij de volgende heg blijft ze staan.

'Nu ik,' zegt Carmen.

Om de beurt lopen ze voor de boerderij langs.

'En?' vraagt Bo, als ze weer met z'n vieren bij elkaar zijn.

'Is jullie niks opgevallen?'

Jasper denkt hard na, maar hij heeft niks gezien. Carmen en Jordi gelukkig ook niet.

'Kijk dan!' wijst Bo.

Nu ziet Jasper het. Malle Eppie heeft spullen op de stoep gezet. Die heeft Jasper ook wel gezien, maar hij vond het niks bijzonders. Wel meer mensen hebben oude rommel klaargezet voor de wagen van het grof vuil.

Aan wat malle Eppie allemaal wegdoet kun je zien hoe rijk hij is. Het zijn nog goede spullen: een schemerlamp, een kapstok en een leren draaistoel.

Jasper test de stoel. De leuningen zijn versleten, maar hij draait nog prima. Wie zet zo'n ding nou aan de straat?

'Die spullen nemen we vast mee,' zegt Bo.

'En dan?' vraagt Carmen.

'Verkopen natuurlijk,' zegt Bo.

'Hoe dan?' vraagt Jordi. 'Het is nog lang geen Koninginnedag.'

'Gewoon in de winkel, slimbo,' zegt Bo.

Jasper snapt het. Bo wil naar Grut & Goed, de kringloopwinkel waar ze vorig jaar keukenstoelen hebben gekocht.

'Ik haal de bolderkar,' roept Jasper.

Hij rent naar huis en komt terug met de bolderkar. Ze stapelen alles op en gaan op weg naar de kringloopwinkel. Onderweg vinden ze ook nog een vuilniszak vol kussentjes en een kartonnen doos met bekers en glazen. Dan is de bolderkar vol.

Als ze bijna bij de winkel zijn, komt er een politieauto aan. Hij rijdt langzaam.

Jasper struikelt van schrik. Zou malle Eppie hebben gezien wat ze gedaan hebben en 1-1-2 hebben gebeld?

'Kijk uit,' zegt Jordi. 'Polities.'

'Gewoon doorlopen,' sist Bo.

Het zijraampje van de auto staat open. De ene agent leunt met z'n elleboog naar buiten. Hij zit druk te praten met zijn collega.

Achterin zit iemand zonder uniform. Zou het een boef zijn? Dan brengen ze die nu eerst naar het politiebureau, denkt Jasper.

De agent bij het raampje kijkt even hun kant uit.

'Hallo polities!' Jordi zwaait.

De agent steekt z'n hand op.

Pas als hij de motor niet meer hoort, durft Jasper om te kijken. Heel in de verte ziet hij de politieauto de hoek om gaan.

'Waarom deed je dat nou weer?' briest Bo. 'Bijna had je alles verraden!'

'Hoezo?' zegt Jordi. 'Ze kunnen ons toch niks maken. We mogen hier gewoon lopen hoor.'

'Ja schiet nou maar op,' zegt Bo. 'Straks komen ze terug.'

Ze nemen de zij-ingang van Grut & Goed, dan kom je in de werkplaats. Daar knappen ze de spullen op voordat ze verkocht worden.

Een man is bezig een oud nachtkastje schoon te maken. Hij heeft een dikke buik en een snor. Hij borstelt de binnenkant van het kastje. Er komt een wolk stof uit.

'Zo, hebben jullie de zolder opgeruimd?' vraagt de man.

'Nee,' begint Jordi. 'Het stond gewoon...'

'Ja precies,' zegt Bo dwars door Jordi heen. 'We hebben grote schoonmaak gehouden.'

'En toen dachten jullie: eens kijken wat de gek ervoor geeft.'

'Nee,' zegt Jordi. 'We willen het gewoon verkopen. Het hoeft niet speciaal aan een gek.'

'Jordi...' zucht Bo.

De man loopt keurend om de bolderkar heen. Hij gluurt in de zak met kussens en rommelt tussen de glazen.

'Ik zal het goed met jullie maken,' zegt hij dan. 'Vijf euro.'

'En voor de rest?' vraagt Bo.

'Hoe bedoel je?' zegt de man.

'Vijf euro voor de glazen,' zegt Bo. 'En voor de rest?'

De man begint te lachen. Het is zo'n irritante lach van grote mensen die vinden dat kinderen iets stoms hebben gezegd.

'Voor de glazen,' hinnikt hij. 'Dank je de koekoek. Die mag je wat mij betreft meteen in de glasbak mikken.'

'Waarvoor dan?' vraagt Bo.

'Voor al die rommel samen natuurlijk,' zegt de man.

'Bij IKEA kost zo'n kapstok wel veertig euro,' zegt Bo verontwaardigd.

'Dan ga je toch lekker naar IKEA met die ouwe meuk.' De man lacht niet meer. Hij kijkt nu eerder geniepig. Eigenlijk is het helemaal geen aardige man, vindt Jasper, maar een eikel. Een tweedehands eikel met een dikke buik en een gore snor.

'Het is voor de arme kinderen in Iran,' zegt Jasper.

De man doet alsof hij het niet hoort.

'Tien euro,' zegt Bo.

De man zucht.

'Nou vooruit,' zegt hij dan. 'Omdat het voor de kinderen in Iran is, zeven en een half.'

'Oké,' zegt Bo.

Ze laden de spullen uit en lopen met de man mee naar de kassa. Hij geeft Bo het geld.

'Wat een afzetter,' zegt Bo als ze weer buiten staan.

'Maar we hebben nu eindelijk wat geld,' zegt Jasper. 'En misschien is het in Iran wel goedkoper om een huis te bouwen. Misschien kunnen ze hier al een paar stenen voor kopen, of een dikke balk.'

'Eigenlijk,' zegt Bo, 'hoeven we niet al het geld aan de armen te geven.'

'Waarom niet?'

'Omdat we het niet van de rijken hebben gepikt,' zegt Bo. 'Het stond op de stoep, dus het was afval. Daarom hoeven we maar de helft aan de armen te geven. Van de andere helft kunnen we iets lekkers kopen. Dat deed Robin Hood ook vaak.'

Beleggen

Jasper zuigt op een dropsleutel. Hij heeft geen haast, want ze hebben een flinke zak snoep gekocht en er is genoeg voor iedereen. Ze zitten in het rovershol. Het is beter als Maarten de zak niet ziet.

Bo heeft het overgebleven geld in een apart doosje gedaan. Ze heeft er een sticker op geplakt met daarop een pijl en boog. Maar het is nog niet erg veel. Ze moeten dus maar gauw weer op pad, op zoek naar nog meer rijken. Maar waar?

'Wat deed Robin Hood eigenlijk als er toevallig geen rijken in de buurt waren?' vraagt Jasper.

'Dan gingen ze op jacht,' zegt Bo. 'En dan schoten ze een hert in het bos van de koning. Dat roosterden ze. En dan vraten ze zich drie dagen lang helemaal vol met hertenbout.'

'Echt?' zegt Carmen. 'Dat heb ik nog niet gelezen.'

'Tuurlijk,' zegt Bo. 'Of dacht je soms dat Robin Hood vegetariër was?'

Carmen is wel vegetariër. Jasper meestal ook, behalve als ze kip eten, of hamburgers of pannenkoeken met spek.

Op dat moment horen ze Maarten.

'Jongens, komen jullie lunchen!'

Jordi is naar huis gegaan, maar Carmen eet mee. Dat is omdat Marjolein vandaag werkt. Carmen is er nog vaker sinds Maarten en Marjolein zo'n beetje verkering hebben.

Jasper weet nog niet of hij dat leuk vindt. Eerst wilde hij niks liever dan een nieuwe moeder. Met z'n drieën is het best gezellig, maar met Nicole erbij was het veel leuker.

Toch vraagt Jasper zich soms af of Marjolein een aardige moeder is. Wel voor Carmen natuurlijk, maar tegen Jasper doet ze soms te bemoeierig.

Gisteren onder het eten vroeg Marjolein wel drie keer of Jasper het eten lekker vond. Hij had meteen de eerste keer al 'ja' gezegd en toch bleef ze het vragen. Zo heel erg lekker was het trouwens niet, al die groente.

Als ze net aan tafel zitten, gaat de telefoon.

Maarten neemt op.

Het is Marjolein. Dat ziet Jasper aan Maartens gezicht. Meteen daarna hoort hij het ook aan de stem die door de telefoon schalt.

'Heb je het al verteld?' hoort Jasper haar vragen.

'Nee,' mompelt Maarten, terwijl hij met de telefoon de kamer uit loopt.

Als hij eindelijk terugkomt verwacht Jasper een Belangrijke Mededeling. Zo noemt Maarten dat zelf altijd. Als er iemand dood is, of heel erg ziek.

En soms is het een preek. Dan kijkt hij Jasper en Bo om de beurt aan en begint eindeloos uit te leggen dat je beter niet kunt liegen. Of dat je oude mensen niet moet uitlachen als ze in de winkel steeds opnieuw hun giropas ondersteboven door de pinautomaat halen.

Maar nu doet Maarten dat allemaal niet. Hij pakt een boterham en smeert er pindakaas op.

Jasper knijpt z'n neus dicht en Maarten zet de pindakaaspot een eindje verder op tafel. Maar hij kijkt afwezig.

Jasper wordt er een beetje zenuwachtig van. Wat hebben Maarten en Marjolein bedacht?

Maarten schraapt z'n keel en vouwt z'n handen.

Nu komt het, denkt Jasper.

Maar Maarten neemt opnieuw een hap.

'Miljonairs,' zegt Bo ineens. 'Die zijn heel rijk hè...'

'Nogal,' zegt Maarten. 'Wat geld betreft tenminste.'

'Maar waar *bewaren* ze al dat geld eigenlijk?'

'Hangt ervan af,' zegt Maarten. 'Sommigen geven sloten geld uit aan dure vakanties en auto's, huizen, feesten, noem maar op. Maar je hebt ook miljonairs die juist heel zuinig leven. Die proberen zo veel mogelijk geld te krijgen. Die stoppen het gewoon in een oude sok.'

'Echt?' vraagt Bo ongelovig.

'Bij wijze van spreken. Hoewel: er zijn verhalen bekend van bejaarden die sparen van hun pensioen en dat geld gewoon in huis verstoppen. In allerlei potjes en onder het vloerkleed. Maar de meeste miljonairs beleggen hun geld. Waarom wil je dat weten?'

'Zo maar,' zegt Bo.

'Wat is beleggen eigenlijk?' vraagt Carmen.

Maarten begint het uit te leggen.

Boeit niet, vindt Jasper. Hij neemt mooi nog een boterham met chocoladepasta. Dat mag eigenlijk niet, maar Maarten let nu toch niet op.

'Dus beleggen is geld verdienen zonder iets te doen?' vraagt Carmen.

'Als het goed gaat wel,' zegt Maarten. 'Maar je kunt ook een boel geld verliezen. Dat is het risico, snap je?'

'Dan kun je het beter op een spaarrekening zetten,' zegt Carmen.

'Precies,' zegt Maarten tevreden.

'Maar waarom beleggen ze dan toch?' vraagt Carmen.

'Omdat ze vinden dat sparen te weinig oplevert. Je hebt nu eenmaal altijd gulzige types. Neem Jasper bijvoorbeeld, die wil nu aan z'n derde boterham met chocopasta beginnen. Over beleggen gesproken. Geef maar hier die pot.'

Een oude ochtendjas

Ze zitten weer in het rovershol. Carmen heeft een rugleuning aan haar stoel getimmerd. Met een mes snijdt ze er versieringen in. Dat kan ze goed, ziet Jasper.

'Weet je wie ook zielig zijn?' zegt Carmen. 'De kinderen in Afrika, die niks te eten hebben door de oorlog daar.'

Jasper ziet die kinderen meteen voor zich. Ze zijn weleens op tv, en hij vindt ze eng om naar te kijken. Ze hebben magere spillebeentjes en daarboven megadikke buiken. Volgens Maarten zit in die buiken geen eten maar vocht, want door de honger houden ze vocht vast.

Jasper snapt niet hoe dat komt. Ze hebben honger omdat er niks groeit. En er groeit niks omdat het er zo droog is. Maar waar komt al dat vocht in die buiken dan vandaan?

'Precies,' zegt Bo. 'Daarom wordt het hoog tijd dat we echt iets gaan stelen.'

'Dat kan toch pas als het donker is?' zegt Jasper.

'Dat lijkt maar zo,' zegt Bo. 'Als je handig bent, kan het ook overdag.'

'Hoe dan?'

'Dat leg ik straks wel uit. Kom op.'

'Waarheen?' vraagt Jordi.

'Naar de rijkste man van de buurt natuurlijk,' zegt Bo.

'Malle Eppie dus,' zegt Jordi.

'Heel goed, Jordi,' zegt Bo. 'Malle Eppie lijkt me namelijk niet iemand om z'n geld te beleggen.'

'Misschien heeft hij het op de bank,' zegt Carmen.

'Volgens mij niet,' zegt Bo. 'Het zou mij niks verbazen als hij het in z'n huis heeft verstopt.'

'In z'n oude sok zeker,' zegt Jordi.

'Hoe weet je dat?' zegt Bo meteen.

Het is inderdaad verdacht, want Jordi was er niet bij toen Maarten dat vertelde.

'Dat zegt m'n moeder altijd. Dat oude mensen hun geld in een oude sok stoppen.'

‘Kom op,’ zegt Bo nog een keer, maar Carmen treuzelt. Ze wil natuurlijk de rugleuning van haar stoeltje eerst afmaken.

‘Kunnen we malle Eppie niet gewoon *vragen* of hij geld wil geven voor de arme kinderen,’ zegt Carmen. ‘Al dat gesteel de hele tijd.’

Bo lacht haar uit. ‘Natuurlijk niet. Zo ging het in het echt toch ook niet! Ging Robin Hood van tevoren vragen of hij alsjeblieft wat geld mocht? Hij was struikrover hoor, geen bedelaar.’

Dus gaan ze toch op weg. Ze moeten in de slaapkamer van malle Eppie zien te komen. Als hij daar tenminste z’n oude sokken bewaart.

‘Hoe gaan we het doen?’ vraagt Jordi, als ze er bijna zijn.

Iedereen kijkt meteen naar Bo.

‘Nogal simpel,’ zegt ze. ‘Carmen en ik bellen aan met een smoesje. Ondertussen sluipen jullie langs het huis naar de binnenplaats, daar is de achterdeur. Wij houden hem bij de voordeur aan de praat. Dan kunnen jullie gaan zoeken.’

‘Waar dan?’

‘Weet ik veel, ik ben er nog nooit geweest. Je moet gewoon goed in de kastjes kijken en overal onder gluren. En vergeet vooral het kistje met de schoensmeerspullen niet.’

Jasper weet precies waarom Bo dat zegt. Tussen de schoensmeer bewaart hun eigen oma een briefje met de pincode van haar bankpas. Het ligt daar veilig voor als ze de pincode niet meer weet.

'O wacht, ik ben iets vergeten,' zegt Bo.

Ze rent naar huis. Jasper wacht met de anderen tot ze terugkomt. Ze wappert met een papier. Het is het formulier van de sponsorloop van school, ziet Jasper.

'Die is toch allang geweest?' zegt hij.

'Maakt niet uit,' zegt Bo. 'Dat weet malle Eppie vast niet. Bovendien hoeven we hem alleen maar aan de praat te houden. Kom mee.'

Ze spreken af dat de jongens eerst naar de zijkant van de boerderij sluipen. Gelukkig komt er niemand aan en kunnen ze ongezien de tuin in glippen. Verderop staat de fiets van malle Eppie tegen de schuur. Hij is dus thuis.

Bij de hoek van het huis blijven ze staan. Jasper kijkt om. Hij ziet Bo en Carmen het pad op lopen naar de voordeur.

Even later hoort hij dat de deur opengaat.

'Goedemiddag meneer,' klinkt de stem van Bo.

Meer hoort hij niet, want Jordi en hij rennen gebukt langs de muur, onder de ramen door.

Achter het huis is het een rommeltje. Het lijkt niet bepaald op de binnenplaats van een miljonair, als Jasper het zo bekijkt. Er staan wat plastic tuinstoelen en een tafel die scheef is gezakt. Verder ziet hij een kruiwagen met een lekke band en een opgerolde tuinslang erin.

Jordi staat al bij de achterdeur en voelt aan de kruk. De deur gaat langzaam open. Zo stil mogelijk stappen ze naar binnen.

In de keuken stinkt het naar rook. Op tafel staat een asbak vol uitgedrukte peuken. Ernaast liggen een puzzelboekje en een brillenkoker.

Bij de voordeur horen ze Bo kletsen. Ze houdt een heel verhaal over de arme mensen in de woestijn. Dan vertelt ze dat Nederlandse schoolkinderen rondjes lopen om geld in te zamelen voor waterpompen.

Dat klopt, maar het is al weken geleden gebeurd. Jasper heeft toen twaalf rondjes gelopen. Maar eentje minder dan Jordi.

Ondertussen kijkt Jasper rond. Eerlijk gezegd ziet hij niks kostbaars. Op het aanrecht staan een stapeltje vuile borden en een gedeukt vergiet met pruimen.

'Waar zou hij al dat geld verstoppen?' fluistert Jordi. Hij kijkt in de la van een keukenkast. Daar liggen messen en vorken in, het rammelt nogal.

'Sst!' sist Jasper.

Hij zakt op z'n hurken voor het gootsteenkastje en doet het deurtje open. Het stinkt naar vieze vaatdoek. Toch rommelt Jasper voorzichtig tussen de spullen. Een afwasteiltje, plastic flessen, een doos waspoeder, maar geen kistje voor schoensmeer. En ook geen oude sok.

Net als hij het deurtje weer dicht heeft gedaan en in het andere aanrechtkastje wil kijken, hoort hij de stem van malle Eppie.

'Even mijn leesbril pakken hoor.'

Jordi duikt meteen in de nis tussen de keukenkast en de muur.

Jasper ziet niet zo gauw een verstopplek. De deur van de gang naar de keuken gaat al open. Snel duikt Jasper naar voren, zodat hij achter de open deur zit. Zo kan Eppie hem niet meteen zien.

Jasper hoort dat Eppie iets van de tafel pakt. Daarna

sloft hij de gang weer in. De deur blijft half open staan.

Voorzichtig duwt Jasper hem iets verder dicht. En nog iets, tot er nog maar een kleine kier overblijft. Jordi komt ook weer te voorschijn. Jasper sluipt snel naar de achterdeur, het wordt hem veel te link. Maar Jordi treuzelt. Hij kijkt nog steeds rond of er iets te stelen valt.

'Kom mee,' fluistert Jasper en doet de achterdeur open.

Jordi grist een ochtendjas mee die over een stoel hangt en dan smeren ze hem.

Ze nemen dezelfde weg terug en wachten op de hoek van de boerderij. Jasper hoort dat Bo nog steeds staat te zwammen, maar hij kan haar niet zien.

Carmen ziet hij wel en zij heeft hen ook in de gaten. Hij ziet dat ze een stapje naar voren doet. Hopelijk port ze Bo in haar rug of zoiets. Inderdaad breit Bo een eind aan haar verhaal.

'Dus dan komen jullie nog een keer terug om te vertellen hoeveel rondjes jullie hebben gelopen,' horen ze malle Eppie zeggen.

'Ja, volgende week. Behalve als het niet doorgaat omdat het regent of zo,' zegt Bo. 'Dan komen we niet. Dag!'

Jasper wacht tot hij de deur dicht hoort gaan. Dan rennen ze als een speer de tuin uit, naar de straat.

'En?' vraagt Bo, als ze een eindje verder stilstaan. 'Hoeveel hebben jullie?'

'Ik niks,' zegt Jasper.

'Dit,' zegt Jordi. Hij houdt de donderblauwe ochtendjas omhoog. Die ziet er niet duur uit, eerder versleten.

'Hebben we daar al die moeite voor gedaan!' zegt Bo verontwaardigd.

'Je zei zelf dat Robin Hood ook kleren stal!' roept Jordi.

'Ja hèhè, maar dan wel dure kleren natuurlijk,' zegt Bo. 'Geen uitgelubberde badjas.'

'Wacht even,' zegt Jasper. 'Misschien zit er iets in die zak.'

Jordi begint meteen te grabbelen.

'Gatver!' Hij laat de verfrommelde zakdoek gewoon op de grond vallen. Meteen daarna vallen er een paar muntjes op de grond. Ze rollen over de stoep, tot Jordi ze plet onder z'n schoen.

'Negentig cent,' zegt hij, als hij ze allemaal heeft opgeraapt.

Fietsendieven

'Eigenlijk vind ik het wel zielig voor malle Eppie,' zegt Jasper.

'Alleen om die paar centen?' zegt Bo.

'Nee, van die ochtendjas.'

'Dan koopt hij toch gewoon een nieuwe,' zegt Jordi. 'Hij is rijk zat.'

'Misschien is hij wel heel erg aan deze gehecht,' zegt Jasper. 'Misschien is het wel de lekkerste ochtendjas die hij ooit gehad heeft.'

Jasper denkt aan het jasje van Nicole dat nog steeds aan de kapstok hangt. Soms steekt hij er stiekem even z'n neus in, want het ruikt nog steeds zo lekker naar Nicole. Eerst dacht hij dat het raar was om dat te doen, maar toen hij een keer de gang in liep om z'n handschoenen te pakken, stond Maarten ook met z'n neus in Nicoles jasje.

Het zou vreselijk zijn als het er opeens niet meer zou hangen.

'Breng hem dan maar terug, als je dat zo graag wilt,' zegt Bo.

'Oké,' zegt Jasper en hij gaat er meteen vandoor.

'Ik ga mee,' zegt Carmen.

'Wacht!' roept Bo nog, maar ze hollen gewoon verder.

Pas in de buurt van het huis van malle Eppie gaan ze langzamer lopen.

'Hoe ga je het doen?' vraagt Carmen.

Daar heeft Jasper nog niet over nagedacht.

'Zal ik weer aanbellen?' zegt Carmen. 'Dan kun jij achterom gaan en hem terugleggen.'

'Heb je dan een smoes?'

'Ik zeg wel dat we onze pen vergeten zijn toen we daarstraks bij hem waren,' zegt Carmen.

Ze doen het precies zoals de vorige keer. Zodra Carmen aanbelt, glipt Jasper de hoek om. De keukendeur is nog steeds open. Vliegensvlug hangt hij de ochtendjas weer over de stoel. Als hij naar buiten stapt hoort Jasper malle Eppie hoesten in de gang. Hij maakt dat hij wegkomt.

'Gelukt?' vraagt Bo, als ze alle twee terug zijn.

Jasper knikt. Hij is buiten adem van het rennen.

Ze gaan terug naar het rovershol.

Bo doet het geld ook in het speciale potje en zet het weer op de speciale verstopplek. In de hoek van het schuurtje staat een kastje met ontelbaar veel potjes vol schroeven. Daartussen valt het speciale potje helemaal niet op.

'Goed,' zegt Bo. 'We hebben er weer negentig cent bij. Het is nog niet echt veel.'

Ze beginnen weer na te denken. Carmen gaat weer verder met haar rugleuning.

'Een bank beroven,' zegt Jordi.

'Net als de Zware Jongens zeker,' lacht Carmen.

'Maar we hebben geen pistolen,' zegt Jordi.

Zonder pistolen kun je geen bank beroven. Bovendien heb je een auto nodig, om er snel vandoor te kunnen gaan.

‘Als ik miljonair was kocht ik een dierentuin,’ zegt Carmen onder het houtsnijden. ‘Dan ging ik elke dag de zeehonden voeren.’

‘Als ik miljonair was kocht ik een Ferrari,’ zegt Jordi. ‘En een seizoenkaart voor Ajax.’

‘En jij?’ vraagt Carmen aan Jasper.

‘Een kasteel met een ophaalbrug,’ zegt Jasper. ‘En een verwarmd zwembad en een glijbaan. Zodat je vanaf de toren zo hup in het zwembad kan plonzen.’

‘En jij?’ vraagt Carmen nu aan Bo, maar Bo luistert niet. Ze peutert aan het wratje op haar linkerpink. En ze denkt na.

‘Nou je het zegt.’ Bo kijkt Jasper aan. ‘Weet je wie ook heel rijk zijn? Die lui met dat zwembad.’

Dat is in de Beethovenlaan, een paar straten verderop. Het is het grootste huis van de buurt, misschien wel van de hele provincie. Of zelfs van Europa, of van het zonnestelsel, of van het hele luchtledige.

‘Kom mee!’ zegt Bo.

Het is best een eind lopen, merkt Jasper. Ze moeten helemaal langs het Bachbosje en dan nog door de Händellaan. Ondertussen worden de huizen en de tuinen steeds groter, want het is echt een deftige buurt. Dat zie je ook aan de oprijlanen, die worden steeds langer. Soms kun je vanaf de weg het huis niet eens zien.

‘Voorzichtig,’ zegt Bo, want ze zijn er bijna.

‘Wat gaan we eigenlijk doen?’ vraagt Jordi.

‘Intelligente vraag, Jordi,’ zegt Bo. ‘Waar zijn we nou al de hele dag mee bezig?’

‘Met stelen,’ zegt Jordi.

'Echt?' zegt Bo.

'Hier kun je niks stelen,' zegt Jordi. 'Hier wordt alles bewaakt.'

'Dat zullen we dan nog wel eens zien,' zegt Bo.

Om het huis staat een muurtje en daarop een hek met gaas. Daarachter is een hoge heg, maar op sommige plekken kun je erdoorheen gluren.

Jasper ziet in de verte een joekel van een huis, met een rieten dak. Daarachter moet het zwembad zijn.

Ze sluipen langs het muurtje, tot bij de oprit. Er is een

groot metalen schuifhek, en dat staat open.

De oprit komt uit bij een grote garage, met drie deuren naast elkaar. Eentje daarvan staat open.

'Zie je wel,' zegt Bo.

'Wat dan?' vraagt Jordi.

'Die garage, daarin staat vast wel iets wat we kunnen pikken. Die fiets bijvoorbeeld.'

Voorin de garage staat inderdaad een fiets. Een echte racefiets, met een krom stuur en zonder spatborden.

Maar aan het hek ziet Jasper een bordje met een hond erop. HIER WAAK IK!

'En dit dan?' zegt hij.

'Dat is alleen 's nachts,' zegt Bo. 'Overdag verwachten ze geen inbrekers. Dat zag je bij malle Eppie toch ook?'

Dat is waar, maar Jasper voelt zich toch niet erg op z'n gemak.

'Ik vind het een beetje eng,' zegt Carmen.

'Dat komt doordat je niet arm bent,' zegt Bo. 'Als je echt arm bent, ben je nergens bang voor.'

Jasper gluurt nog eens om het hoekje. Er is niemand te zien. In de rest van de straat gelukkig ook niet.

'Een paar van ons moeten op de uitkijk gaan staan,' beveelt Bo. 'Carmen op die hoek, ik op die hoek, Jasper hier en dan kan jij iets pikken, Jordi.'

'Waarom ik?' vraagt Jordi.

Dat wil Jasper ook wel weten, al is hij allang blij dat Jordi de pineut is.

'Jij bent nu eenmaal de beste sluiper van ons vieren,' zegt Bo. 'Iedereen op z'n post.'

Carmen en Bo lopen weg, ieder naar een hoek van de straat.

Jasper en Jordi blijven wachten tot de meiden een teken geven dat alles veilig is. Dan bukt Jordi en begint hij over de oprit te sluipen.

Jasper kijkt hem na en ziet hoe Jordi vlak bij de garage komt. Jordi kijkt om zich heen en stapt dan snel op de racefiets af. Hij pakt hem beet en loopt er de garage mee uit. Net als hij opstapt horen ze een schreeuw.

'Hé daar!'

Jordi probeert te fietsen, maar het zadel zit te hoog. Hij moet op de trappers blijven staan en slingert.

'Ho! Halt! Hier blijven!'

Jasper ziet nog net een man te voorschijn komen, met wit haar en een brilletje. Dan begint Jasper te rennen.

'Houd de dief!'

Jasper scheurt de straat door, langs Carmen, die meteen achter hem aan rent in de richting van het Bachbosje.

In de verte hoort Jasper gekletter. Een fiets die op straat valt.

Dan is hij gelukkig bij het bosje. Hij duikt tussen de struiken en blijft plat op z'n buik liggen. Carmen stuift hem voorbij.

Hijgend schuifelt Jasper iets naar voren en hij gluurt tussen de bladeren door. Meteen komt Jordi langs rennen. Hij scheurt het bosje in zonder Jasper te zien. Aan het kraken van de takken hoort Jasper welke kant Jordi op gaat.

Daar is de man met de witte haren en het brilletje. Hij zit nu op de fiets en rijdt als een gek voorbij.

Jasper snapt meteen wat hij van plan is. De straat gaat om het bosje heen. Zo kan de man Jordi aan de andere kant opvangen.

Doodstil blijft Jasper liggen luisteren. Krijgt die vent Jordi te pakken? Of Carmen? En welke kant zou Bo op gegaan zijn?

Net als hij voorzichtig overeind krabbelt, ziet hij de man weer aankomen, van dezelfde kant als de eerste keer. Blijkbaar is hij om het bosje heen gefietst zonder Jordi tegen te komen.

Onmiddellijk ligt Jasper weer plat op z'n buik.

De man rijdt niet meer zo hard en spiedt in het rond. Hij gaat steeds langzamer rijden en dan komt hij recht op Jasper af.

Hij stopt een paar meter bij hem vandaan. Jasper kan alleen z'n onderbenen zien en een stukje van de fiets. Als hij maar niet afstapt en lopend het bosje in komt...

Jasper houdt z'n adem in. Hij probeert niet zo hard te trillen, maar z'n benen luisteren niet. Ook zijn armen kan hij niet stil houden en zelfs z'n buik is aan het klappertanden.

'Nondeju,' hijgt de man. 'Stuk tuig.'

Hij stapt af en loopt met de fiets aan z'n hand het bosje in.

Jasper heeft het niet meer. Maar net als hij denkt dat hij erbij is, hoort hij achter zich iets kraken. Voetstappen. Ze gaan langs Jasper heen, recht op de man af.

'Dag meneer.'

Het is de stem van Carmen. Jasper ziet haar benen.

'Wacht eens,' zegt de man. 'Heb jij net een jongen voorbij zien rennen?'

'Een jongen?' vraagt Carmen.

'Met blond piekhaar en een Ajaxshirt.'

'O die,' zegt Carmen. 'Die is die kant op gerend.'

'Geweldig, bedankt,' zegt de man. Hij springt weer op z'n fiets en sjeest de Strausslaan in. Precies de verkeerde kant op dus.

Het grote geld

'Dat was op het nippertje,' zegt Carmen als ze alle vier weer veilig in het rovershol zitten.

'Volgens mij was jij nog banger als mij,' zegt Jordi tegen Jasper.

'*Dan ik*,' zegt Bo.

'O ja?' glundert Jordi. 'Was jij ook zo bang?'

'Jordi,' zucht Bo. 'Ik bedoel niet dat *ik* bang was, maar dat je moet zeggen *dan ik* en niet *als mij*. Dat is gewoon geen Nederlands.'

'Boeit niet,' zegt Jordi.

'Zou die vent naar de politie gaan?' vraagt Carmen.

Niemand weet het. Het politiebureau is helemaal in het centrum, daar kom je langs als je nieuwe kleren gaat kopen, of nieuwe schoenen.

Jasper is er nog nooit binnen geweest. Maar hij weet wel dat er foto's aan de muur geprikt zijn van moordenaars en dieven. Misschien komt Jordi er nu ook tussen te hangen.

'Je moet trouwens een ander shirt aan doen,' zegt Carmen. 'Die kerel heeft je gezien.'

Jordi gaat even naar huis.

'Ik heb trouwens niet meer zo'n zin in Robin Hood zijn,' zegt hij als hij terugkomt.

'Aso,' zegt Bo meteen. 'En de arme mensen dan?'

'Nou laat je mij ook niet uitpraten,' zegt Jordi kwaad.

'Sorry hoor,' zegt Bo. 'Ga verder.'

'Ik wil nog wel Robin Hood zijn, maar ik vind dat stelen gewoon een beetje dom.'

Bo zegt niks. Ze kijkt alleen maar.

'Ik wacht,' zegt ze, omdat Jordi niks meer zegt.

'Wat?'

'Tot je met een beter idee komt.'

'Penalty schieten?' vraagt Jordi aan Jasper.

Jasper heeft wel zin, maar Bo is hem voor. Ze pakt het potje en schudt het heen en weer, zodat het geld flink rammelt.

'Hoeveel denk je dat hier in zit?' vraagt ze.

'Ja dûh,' zegt Jordi. 'Drievijfenzeventig plus negentig cent.'

'Inderdaad Jordi,' zegt Bo. 'Denk je dat de arme kinderen daar genoeg aan hebben?'

'Hangt ervan af,' zegt Jordi.

'O ja?' vraagt Bo. 'Waarvan dan?'

'Van wat ze ervoor willen kopen natuurlijk,' zegt Jordi. 'Als ze een huis met een zwembad willen is het te weinig.'

'Leuk hoor Jordi, een huis met een zwembad.'

Jordi heeft de bal gepakt en laat hem op z'n bovenbeen stuiteren, van z'n ene op z'n andere. Dat oefent Jasper ook vaak, maar hij kan het nog steeds niet zo goed als Jordi.

'Eigenlijk,' zegt Bo langzaam. 'Eigenlijk vraag ik me af of jij wel *echt* medelijden hebt met de arme kinderen.'

Dat vraagt Jasper zich ook af. Niet over Jordi, maar over zichzelf. Dat wil zeggen: hij wil wel graag stelen voor de arme kinderen, maar het is gewoon moeilijker dan het lijkt.

'Echt wel,' zegt Jordi.

'Waarom verzin je dan niks om ze te helpen?' zegt Bo.

'Ik wil wel, maar ik weet niks,' zegt Jordi. 'En trouwens: daarnet heb ik bijna die fiets gejat.'

'Zeg dat wel,' zegt Bo. 'Bijna...'

Jordi haalt z'n schouders op en stuitert verder.

'Alsof jij zulke goede ideeën hebt,' zegt hij dan.

'Voorlopig ben ik wel de enige die iets heeft bedacht wat geld heeft opgeleverd,' zegt Bo. 'En ook nog een zak snoep.'

Ze piekeren weer verder.

'Ik weet wat,' zegt Jordi. 'We gaan nu penalty schieten en dan gaan we morgen verder met stelen.'

Iedereen kijkt weer naar Bo.

Waarom weet Jasper niet precies, maar Bo is op de een of andere manier gewoon de baas. Niet alleen omdat ze de oudste is, maar ook omdat ze het meeste weet.

'Oké dan,' zegt Bo. 'Maar alleen als we morgen allemaal een idee hebben over hoe we geld kunnen stelen. En dat gaan we dan ook echt doen. Er zit nog lang niet genoeg in het potje. We moeten minstens twintig euro hebben. Daarmee kun je bij het Rode Kruis een voedselpakket kopen en dat brengen zij dan naar de arme kinderen.'

'Mij best,' zegt Jordi.

'En denk erom,' zegt Bo. 'Mondje dicht.'

'Waarom eigenlijk?' vraagt Carmen. 'Het is toch juist goed wat we doen?'

'Ja,' zegt Bo. 'Dat weten wij wel, maar volwassenen niet. Die moeten eerst uren met elkaar vergaderen om zeker te weten of het wel goed is. Daar kunnen we niet op wachten, dus voorlopig houden we het geheim. Morgen gaan we op zoek naar het grote geld, gesnopen?'

Dan gaat Bo naar binnen, want penalty schieten vindt ze nog belachelijker dan gewoon voetballen.

Een laat telefoontje

Die avond eten ze eindelijk weer eens met z'n drieën: Jasper, Bo en Maarten. Voor de verandering eten Carmen en Marjolein in hun eigen huis. Carmens tante is op bezoek.

Jasper heeft het warm. Ze hebben tot vlak voor het eten gevoetbald: eerst penalty's genomen en daarna nog een hele tijd 'wie scoort, die keept'.

'Lekker rustig,' zegt Bo na een paar happen.

'Ja heerlijk hè,' zegt Maarten. 'Zonder die twee druktemakers van hiernaast.'

Hij bedoelt het als grapje, hoort Jasper.

'Eerlijk gezegd is dat wel waar,' zegt Bo. 'Ik vind Carmen best aardig, maar ze heeft zoveel aandacht nodig.'

'O ja?' zegt Maarten.

'Ja. Ze wil altijd in het middelpunt staan.'

'En daar staat al iemand, bedoel je.'

Jasper grinnikt.

'Wat?' zegt Bo.

'Laat maar. Melk?' Maarten schenkt meteen in.

'En wat vind je van Marjolein?' vraagt hij dan.

Vreemd genoeg krijgt Jasper meteen een raar gevoel in z'n buik. En ook in z'n keel trouwens, net of hij per ongeluk een snoepje heeft doorgeslikt in plaats van er lekker op te zuigen.

'Marjolein,' herhaalt Bo alsof ze die naam voor het eerst hoort. 'Nou, op zich vind ik haar ook wel aardig, behalve als ze zich zo aanstelt.'

'Aanstelt?' vraagt Maarten.

'Dat ze zo stom lacht als jij iets leuks hebt gezegd. Alsof het de beste mop van de wereld is.'

'Dat vind je overdreven,' zegt Maarten.

'Ja,' zegt Bo. 'En ze doet ook vaak *zo* emotioneel.'

Maarten glimlacht, maar hij zegt niks. Niet tegen Bo tenminste.

'En jij Jasper, wat vind jij van Marjolein?'

Wat er gebeurt weet Jasper niet precies, alleen dat het rare gevoel in z'n keel nog veel erger is geworden. Hij kan zelfs niet meer praten. Hij staat zo hard op dat de stoel achter hem omvalt. Hij rent de kamer uit, de trap op en ligt dan ineens op z'n bed met z'n hoofd in z'n kussen.

Voetstappen op de trap. Jasper hoopt dat ze stoppen op de overloop, maar eigenlijk ook weer niet. Ze komen de kamer in. Hij voelt dat Maarten naast hem op het bed gaat zitten.

Maarten zucht, maar zegt niks. Dan kroelt hij Jasper in z'n nek, in de korte haartjes onderin. Precies zoals Jaspers moeder altijd deed, vooral als hij net naar de kapper was geweest.

'We gaan Nicole niet vergeten hoor,' zegt Maarten ineens.

Hij kan heel laag praten, dat is Jasper al eerder opgevallen. Maar Jasper heeft geen zin om zich om te draaien, hij wil het liefst voor altijd zo blijven liggen.

'We zullen haar deze week weer eens een mooie bos bloemen brengen. Lijkt je dat geen goed idee?'

Alsof ze daar wat aan heeft!

'Ga je dan mee? Hé, zeg eens wat.'

Maar Jasper wil niks zeggen. Nu niet, nooit niet.

Maarten schudt zachtjes aan Jaspers schouder.

'Of zal ik je even met rust laten?'

Jasper knikt, al valt dat niet mee met je hoofd in het kussen.

'Oké.' Maarten zoent Jasper in z'n nek en gaat dan terug naar beneden.

Als Jasper wakker wordt, is het al nacht. Zijn mond is droog en zijn wangen plakken. Hij knipt z'n bedlampje aan. Op de klok is het vijf voor elf. Hij staat op, want hij moet z'n tanden nog poetsen. En plassen.

Terwijl hij naar de badkamer loopt, hoort hij beneden Maarten praten. Hij zit zeker aan de telefoon.

Als het maar niet de politie is, denkt Jasper ineens. Misschien is malle Eppie erachter gekomen en is hij naar de politie gegaan. Of die vent van die fiets.

Hadden ze het maar nooit gedaan. Misschien moeten ze wel naar de gevangenis.

Voorzichtig gaat Jasper een eindje de trap af, zodat hij het beter kan horen.

'Nee,' hoort hij Maarten zeggen. 'Ik geloof dat het nog een beetje te vroeg is om het ze te vertellen. Ik probeerde het gesprek er voorzichtig heen te sturen, maar Jasper raakte meteen over z'n toeren. We moeten maar een beetje rustig aan doen.'

Het klinkt niet als politie, eerder als Marjolein.

'Nee dat niet. Hij is in slaap gevallen en ik heb hem maar laten liggen. Hoe was het met je zus?'

Zie je wel, Marjolein, denkt Jasper opgelucht. De tante

is zeker weg en Carmen slaapt natuurlijk allang.

Maarten zegt niks meer, alleen af en toe 'ja'.

Jasper begint te tellen hoe vaak Maarten dat zegt, maar als hij bij zesendertig is, heeft hij geen zin meer. Hij staat voorzichtig op en sluipt naar de badkamer. Zo zachtjes mogelijk poetst hij z'n tanden en doet hij een plas. Als hij weer in bed kruipt, is het kwart over elf. Als het oudejaarsavond was, zou hij nog drie kwartier wakker moeten blijven, maar dat is het gelukkig niet.

Dan pas herinnert hij zich dat hij nog een manier moet bedenken om van de rijken te stelen. Misschien kunnen ze er trouwens maar beter mee ophouden, voordat ze echt gesnapt worden.

Melig

'Lekker geslapen?' vraagt Maarten bij het ontbijt.

'Ja hoor,' zegt Jasper.

Hij hoopt dat Maarten niet gaat zeuren over wat er gisteravond gebeurd is. Zo belangrijk was dat allemaal niet.

Bovendien moet Jasper nu snel verzinnen hoe ze straks een bank kunnen beroven of zoiets. Hij wil niet als enige geen idee hebben.

'Vrijdag gaan we naar het graf,' zegt Maarten. 'Afgesproken?'

Jasper knikt en hapt snel in z'n boterham. Gelukkig houdt Maarten er daarna over op.

Nog voordat ze het ontbijt op hebben komt Jordi al weer door de achterdeur. Hij pakt een *Donald Duck* en gaat in de kamer zitten lezen.

Bo en Jasper gaan zich aankleden. Daarna wachten ze met z'n drieën op Carmen.

'Ik heb geen tijd gehad,' zegt Carmen, als ze eindelijk komt. 'Mijn tante was op bezoek.'

'Wij ook niet,' zegt Bo.

'Wat was er dan bij jullie?' vraagt Carmen.

'Zal ik het zeggen, Jasper?' zegt Bo.

Jasper aarzelt, want hij weet helemaal niet *wat* Bo wil zeggen.

'Maarten wil ons vertellen dat hij met jouw moeder wil gaan trouwen. Maar hij durft het niet omdat hij bang is dat we er niet tegen kunnen,' zegt Bo.

‘O dat,’ zegt Carmen. ‘Dat weet ik allang. Ze weten alleen nog niet in welk huis we dan gaan wonen.’

‘Ons huis is groot genoeg,’ zegt Bo. ‘Dan kan jij het kleine kamertje wel krijgen.’

Dat zit tussen de badkamer en de slaapkamer van Maarten. Het is zo klein dat Maarten er een soort kleedkamer van heeft gemaakt, met tegen alle muren kleerkasten.

‘De kans is groot dat ze een nieuw huis gaan kopen,’ zegt Carmen. ‘Een groter huis dan dat van jullie.’

‘Wie zegt dat?’ zegt Bo.

‘Marjolein. Maar volgens haar is Maarten het ermee eens. Als we met z’n allen in een ander huis gaan wonen, wordt het pas echt een nieuwe start of zoiets.’

Dat had Bo niet verwacht, ziet Jasper, want ze kijkt tamelijk beteuterd.

Zelf heeft Jasper trouwens geen zin om te verhuizen, want ze wonen hier juist zo lekker. Met de schommel en alle verstopplekken en het bos zo dichtbij. En Jordi natuurlijk, dat is toch wel z’n beste vriend.

‘Als ze maar niet denken dat ik met jou op één kamer ga,’ zegt Bo.

‘Ik ook niet met jou,’ zegt Carmen. ‘Hooguit met Jasper.’

Jasper is blij dat hij net met z’n hoofd naar beneden hangt. Hij heeft z’n benen op de rugleuning gelegd. Dat mag eigenlijk niet want dan slijt de bank, maar het ligt zo lekker. Zijn hoofd hangt bijna op de grond.

‘Dat zullen we nog wel zien,’ zegt Bo. ‘We hebben nu belangrijkere dingen aan ons hoofd.’

‘Wat dan?’ zegt Jasper ondersteboven. De kamer ziet er raar uit. Er ligt een lamp op de vloer, een kale witte vloer, zonder kleedjes. Aan het plafond hangt een tafel. Die tafel heeft geen poten, maar vier dikke ijzeren haren. De stoelen ook. Stijve haren, met veel gel erin zeker.

‘Wat hadden we nou gisteren afgesproken?’ zegt Bo.

‘O bedoel je dat,’ zegt Jasper. Hij heeft nog steeds geen goed idee.

De anderen blijkbaar ook niet. Jordi leest nog steeds.

‘Of heb je toch nog iets bedacht, Jasper?’ vraagt Bo.

‘Nee,’ zegt Jasper. ‘En ik ben trouwens niet Jasper, maar ik ben Repsaj.’

‘Wat?’ lacht Carmen.

'Repsaj,' zegt Jasper. 'Want ik ben ondersteboven. En achterstevoren.'

'O,' zegt Carmen en ze denkt even na. 'Dan ben ik Nemrac, aangenaam kennis te maken.'

Ze steekt haar hand uit en schudt die van Jasper. Dat voelt gek, een omgekeerde hand.

'Jemig wat kinderachtig,' zegt Bo. 'Dan ben ik zeker Ob.'

'Ha Oppie!' lacht Carmen.

Jordi begrijpt het niet en kijkt of ze allemaal in aliens veranderd zijn.

'En jij bent Idroj,' zegt Carmen.

'Ik dacht het niet,' zegt Jordi.

'Mag ik die *Donald Duck* als je hem uit hebt,' vraagt Jasper. 'Sorry, de Kcud Dlanod bedoel ik.'

'Pardon?!' zegt Maarten, die net weer de kamer in komt. Hij heeft een kop koffie in z'n hand.

'Nee,' zegt Jasper snel. 'Ik zei niet wat jij denkt dat ik zei. Ik zei Kcud en dat is met een D op het eind en niet met een T. En het is een omgekeerde eend in het Engels.'

Carmen heeft het niet meer. Ze rolt van de bank van het lachen, half op Jordi.

'Wat is er zo leuk,' moppert Jordi. Hij snapt er geen bal meer van.

'Dlanod Kcud,' giert Carmen. 'Een omgekeerde eend met een D op het eind!'

'Goeie genade wat zijn jullie melig,' zegt Maarten en hij gaat gauw naar boven.

Niet kopen, stelen!

‘Maar jij hebt dus ook geen goed idee waar we geld kunnen stelen?’ zegt Bo tegen Carmen als ze weer in het rovershol zitten. ‘Dan moet het van jou komen Jordi, want vandaag moeten we echt een grote vangst doen.’

Iedereen kijkt naar Jordi. Jordi zelf ook, dat wil zeggen: hij kijkt aandachtig naar z’n ene duim. Hij pulkt aan een los velletje, maar hij krijgt het er niet goed af en zet er daarom z’n tanden in. Dat helpt en hij spuugt het velletje naast zich op de grond.

‘Als je tenminste bent uitgegeten,’ zegt Bo.

‘Ja dûh,’ zegt Jordi. Maar verder zegt hij niks. Zo te zien heeft hij ook niks nieuws bedacht.

‘Misschien kunnen we beter geen geld stelen, maar gewoon sieraden,’ zegt Jordi dan.

Het blijft even stil.

‘Kijk,’ zegt Bo dan. ‘Dat noem ik nog eens een goed idee.’

‘Hoe zo?’ vraagt Carmen.

‘Simpel,’ zegt Bo. ‘Waar vind je de meeste sieraden?’

‘Bij de koningin,’ zegt Jordi.

‘Effe serieus,’ zegt Bo.

‘Bij de juwelier,’ zegt Jasper.

‘Juist. Bij de juwelier.’

‘Maar is die wel echt rijk?’ vraagt Carmen.

‘Tuurlijk,’ zegt Bo. ‘Als je een winkel hebt met zo veel

dure sieraden, dan ben je natuurlijk heel rijk. Anders kun je dat niet allemaal kopen. En je moet ze wel eerst kopen, voordat je ze weer kunt verkopen.'

Dat klinkt logisch, vindt Jasper. Maar hoe moeten ze de juwelier beroven? Dat is toch net zo moeilijk als een bank?

'Ik denk dat ik een plan heb,' zegt Bo. 'Maar het is niet zo eenvoudig. We gaan gewoon de winkel in. Als klant.'

'Maar moet er dan iemand een nieuw horloge of zo?' vraagt Carmen.

'Nee dat niet,' zegt Bo. 'Al ken ik trouwens wel twee mensen die binnenkort gaan trouwen.'

'Wie dan?' vraagt Jordi onnozel. 'O nee, ik weet het al weer.'

'Maar we kunnen toch geen ringen kopen,' zegt Carmen. 'Dat moeten ze zelf doen.'

Stel je voor, denkt Jasper ineens, dat hij echt samen met Carmen op één kamer moet in het nieuwe huis. Misschien zou het best leuk zijn, want met Carmen kun je wel lachen.

Misschien krijgen ze dan wel een stapelbed en kunnen ze iedere avond een kussengevecht houden en moppen tappen.

'Voor de honderdduizendste keer,' zegt Bo. 'We gaan natuurlijk geen ringen *kopen*, we gaan ze *stelen*.'

Daarna legt ze uit hoe ze het gaan doen. Ze gaan niet doen alsof ze iets willen kopen, ze gaan alleen iets laten repareren. Het oude horloge van opa Hans, dat heeft Jasper vorig jaar van hem gekregen.

Het is niet een horloge dat je om je pols draagt, maar

een die je aan een kettinkje in je vestzakje moet doen. Alleen heeft Jasper geen vestzakje. Het horloge loopt trouwens ook niet meer, want de veer is kapot. Maar dat, zegt Bo, komt nu dus heel goed uit.

'Terwijl ik die man aan de praat hou over dat horloge,' zegt Bo, 'kunnen jullie een ring pikken, of zoiets.'

'Hoe dan?' vraagt Jordi.

'Zo.' Bo gaat even naar de andere kant van het schuurtje, achter het gordijn. Ze komt terug met een handvol grote spijkers en schroeven. Die legt ze voor haar krukje op de grond voordat ze weer gaat zitten.

'We doen of deze spijkers horloges zijn,' zegt ze. 'Of ringen, of weet ik veel.'

'Armbanden,' zegt Carmen. 'Gouden armbanden.'

'Voor mijn part,' zegt Bo. Ze pakt twee grote spijkers, in elke hand eentje. Ze houdt ze allebei omhoog.

'Welke vind je mooier?' vraagt ze. 'Deze of deze?'

Niemand zegt wat.

'Zeg dan wat,' fluistert Bo.

'Deze,' zegt Jordi.

'Dan leg ik deze terug,' zegt Bo.

Maar dat doet ze niet. Ze laat de spijker in de mouw van haar jas glijden en doet dan net of ze iets terug legt.

'Gesnopen?' zegt ze.

Iedereen knikt.

'Maar daar hebben de arme kinderen toch niks aan,' zegt Carmen.

'Wat nou weer,' zegt Bo ongeduldig.

'Die hebben toch niks aan een dure armband,' zegt Carmen. 'Die willen eten hebben, of medicijnen.'

'Of stenen,' zegt Jasper.

'Edelstenen?' vraagt Jordi.

'Nee bakstenen natuurlijk, om huizen te bouwen.'

Bo denkt even na.

'Dan verkopen we ze.'

'Wat?'

'Die sieraden.'

'Hoe dan?'

'Gewoon. Via internet. Dat doet iedereen tegenwoordig. Zo hebben we onze trampoline ook gekocht.'

Dat klopt. Maarten heeft op z'n computer eindeloos gezocht naar een tweedehands trampoline. Na een paar dagen lukte het, helemaal niet duur. Alleen moesten ze hem nog wel gaan halen, in de buurt van Eindhoven.

'Maar hoe moet dat dan?'

'Dat zien we dan wel weer. Laten we ze nu eerst maar gaan halen. Jasper, pak je horloge.'

Het zit in een speciaal oud doosje met een blauw kussentje aan de binnenkant. Jasper haalt het op en geeft het aan Bo. Ze stopt het in haar rugzak en ze gaan op weg.

Deze of deze?

De juwelierswinkel zit tussen de slagerij en de viswinkel. De etalage fonkelt, het ligt er stikvol sieraden en juwelen. Er staat zelfs een modepop, tenminste haar hoofd dan, met een gouden kroontje in het haar. Dat kroontje schittert helemaal van de diamanten.

'Zie je die haarband?' zegt Carmen. 'Met al die edelstenen?'

'Die diadeem bedoel je?' zegt Bo. 'Ik dacht wel dat je dat mooi zou vinden.'

'Hoezo?'

'Gewoon, dat is helemaal jouw smaak. Maar zo'n opzichtig ding moet je dus niet stelen, dat valt veel te veel op. Iedereen klaar?'

Jordi wil al naar binnen gaan.

'Wacht,' zegt Bo. 'Is er iemand in de winkel?'

Jordi gluurt door de ruit van de deur.

'Volgens mij niet,' zegt hij.

Ze gaan naar binnen.

Er is inderdaad niemand, maar dan komt er van achter uit de winkel een meneer aanlopen. Door het dikke tapijt hoort Jasper z'n voetstappen helemaal niet.

'Goedemorgen, dames, heren,' zegt de man vriendelijk. 'Waarmee kan ik u van dienst zijn?'

'Nou kijk,' zegt Bo, terwijl ze haar rugzak afdoet en erin begint te grabbelen. 'Het gaat om dit oude horloge dat nog van onze opa is geweest. Het is eigenlijk een beetje een soort van antiek geloof ik. Maar onze vader is binnenkort jarig en nu leek het ons zo leuk als het horloge weer zou werken. Dan hebben we een leuke verrassing voor hem.'

'Dat is inderdaad een leuk idee,' zegt de juwelier.

De juwelier ziet er behoorlijk rijk uit, vindt Jasper. Hij draagt een donkerblauw pak met een witte bloes en een gele das. Alleen dat witte sikje, dat is niet erg deftig.

De juwelier pakt het doosje van Bo aan en haalt het horloge eruit. Hij bekijkt het zorgvuldig, ook de achterkant.

'Dan zal ik eerst maar eens even kijken of ik het open kan krijgen,' zegt hij. Hij legt het horloge voorzichtig op een fluwelen kleedje, boven op de vitrine. Uit een laatje pakt hij een heel klein schroevendraaiertje.

Jasper voelt een por in z'n zij. Dat was Bo, ze kijkt hem ongeduldig aan.

Jasper was het al bijna vergeten. Maar dat is Bo's eigen schuld, want eigenlijk vindt Jasper het wel een goed idee van dat cadeau voor Maarten. Hij zou het vast heel leuk vinden als dat horloge het weer doet. Al duurt het nog wel een tijd voor Maarten jarig is.

'Zo,' mompelt de juwelier en wipt het achterkantje open. 'Dat is in ieder geval gelukt.'

Hij kijkt alleen maar naar het horloge.

Voorzichtig spiedt Jasper om zich heen. Carmen staat bij een andere toonbank. Daarop staat een standaard met armbandjes eraan. Ze pakt er eentje af. En nog eentje.

'Waarschijnlijk is het de veer,' zegt de meneer.

Carmen houdt de twee armbanden omhoog.
'Welke vind je mooier?' vraagt ze aan Jasper. 'Deze of deze?'
'Die,' wijst Jasper.
'Ik ook,' zegt Carmen en ze laat hem in de mouw van haar jas glijden.
Snel kijkt Jasper naar de juwelier, maar die heeft niks in de gaten. Hij zet net een speciale bril op met een vergrootglas eraan.
Ondertussen is Jordi naast Carmen gaan staan. Ook hij pakt twee armbanden en net als Carmen houdt hij ze netjes omhoog.
'Welke vind je mooier?' vraagt hij.
'Die,' wijst Jasper weer.
'Deze?' vraagt Jordi.
'Ja,' zegt Jasper.
Meteen laat Jordi de andere in z'n mouw glijden.
Nog steeds heeft de man niks in de gaten.
Nou ik, denkt Jasper.
Hij loopt ook naar de andere toonbank en pakt voorzichtig een armband van de standaard. En daarna nog eentje.
'Ik weet niet of dat binnen jullie budget past, hoor,' zegt de juwelier. Toch kijkt hij nog steeds naar het oude horloge.
'Hoe bedoelt u?' zegt Bo.
'Die armbanden zijn nogal prijzig.'
'O, we kijken alleen even,' zegt Carmen meteen.
Jasper is geschrokken. Hij hangt de armbanden meteen terug.

Maar Jordi heeft duidelijk de smaak te pakken. Hij pakt weer twee armbanden.

Bo kijkt om en schudt heel even haar hoofd. Zij vindt ook dat ze moeten stoppen. Maar Jordi heeft niks in de gaten.

'Welke vind je mooier?' vraagt hij weer.

Jasper zegt niks.

Carmen ook niet.

'Deze of deze?' vraagt Jordi.

'Allebei even mooi Jordi,' zegt Carmen nadrukkelijk.

Maar Jordi snapt het niet.

Of juist wel.

In ieder geval laat hij allebei de armbanden verdwijnen, in iedere mouw eentje.

'Het ziet ernaar uit dat het inderdaad de veer is,' zegt de juwelier, terwijl hij z'n speciale bril weer afzet en opbergt. 'Die kan ik vervangen, maar of dat haalbaar is hangt natuurlijk af van het bedrag dat jullie te besteden hebben.'

'Twintig euro,' zegt Bo.

'Dat is wat krap,' zegt de juwelier en neemt het horloge nog eens in z'n hand.

'Welke vind je mooier?' klinkt het bij de andere toonbank.

Jasper kijkt even om. Jordi houdt weer twee armbanden omhoog. De juwelier ziet het ook.

'Of misschien vijfentwintig,' zegt Bo snel. 'Maar dan moeten we iets langer sparen. Dan komen we later nog wel eens terug.'

De juwelier kijkt bedenkelijk en trekt aan z'n sikje. Met z'n andere hand voelt hij even onder de toonbank. Achter zich hoort Jasper een klik, het komt bij de deur vandaan.

'Dat is misschien het beste ja.' De juwelier legt het horloge weer in het doosje.

Bo doet het doosje snel dicht en stopt het terug in de rugzak. Uit de hoek waar Jordi staat klinkt dof gerinkel en Jasper begrijpt meteen dat Jordi er weer twee in z'n mouw heeft laten glijden.

'Dan gaan we maar weer,' zegt Bo.

Ze loopt naar de deur en Jasper gaat meteen achter haar aan. Bo pakt de kruk en wil de deur opentrekken. Maar dat lukt niet.

'Hij zit op slot,' zegt ze verbaasd.

'Klopt,' zegt de juwelier. 'Gewoonlijk doe ik dat om bepaalde mensen buiten te houden, maar in geval van nood kan ik het natuurlijk ook gebruiken om er voor te zorgen dat klanten er niet vandoor gaan. Want voor jullie vertrekken wil ik graag even mijn voorraad armbanden inspecteren.'

Gedachten lezen

Maarten is loeikwaad, zo kwaad heeft Jasper hem nog nooit gezien. Hij heeft al drie keer gevraagd hoe ze het in hun botte hersens haalden om te gaan stelen! Dat begrijpt Jasper zelf ook niet meer.

Ze zitten nog steeds aan een tafel in het kamertje achter de winkel. De juwelier heeft de winkel zolang dichtgedaan, daarvoor hoefde hij alleen maar het bordje GESLOTEN om te draaien.

Bo vertelt over Robin Hood. En dat het dus eigenlijk Maartens eigen schuld was, had hij haar dat boek maar niet moeten geven.

'Ja maar liefje,' zegt Maarten ontsteld. 'Dat boek speelt in de Middeleeuwen! Je snapt toch wel dat zoiets vandaag de dag niet meer kan.'

'Waarom dan niet?' vraagt Bo.

'Dat is toch duidelijk,' zegt Maarten. 'Het is gewoon verboden. Dat is de wet. Punt uit!'

'Ja dûh,' zegt Bo. 'Dat was het toen ook. Maar Robin Hood deed het toch.'

'Stel je voor,' zegt de juwelier. 'Als iedereen dat zou doen, dan werd het toch een rommeltje in de wereld.'

In de winkel slaat een klok. En nog één en nog één. Eentje roept zelfs 'koekoek'.

'Ik neem aan dat u ook de politie op de hoogte heeft gebracht?' zegt Maarten.

'Daar heb ik nog even mee gewacht,' zegt de juwelier. 'Bij nader inzien is het misschien niet nodig. Ik geloof dat de jongelui inmiddels wel inzien dat ze fout waren. Ja toch, jongens?'

Jasper knikt. De anderen ook, zelfs Bo.

'Nou, dan mogen jullie meneer Huitink wel heel, heel hartelijk bedanken,' zegt Maarten. 'Voor hetzelfde geld zaten jullie nu op het politiebureau.'

'Dank u wel meneer,' zegt Carmen. De anderen mompelen ook zoiets.

'Maar misschien een kleine taakstraf?' zegt Maarten.

'Daar heb ik ook al over zitten denken,' zegt de juwelier. 'Maar er schiet me zo gauw niets te binnen en ik wil de winkel weer opendoen. Dus wat mij betreft zetten we er een punt achter.'

Zodoende staan ze een paar minuten later weer buiten.

'Tussen twee haakjes,' zegt Maarten, als ze thuis zijn. 'Jullie hebben toch niet nog meer gestolen?'

'Nee,' zegt Bo.

'Een beetje,' zegt Jasper.

'Wat bedoel je, Jasper?' vraagt Maarten.

'Alleen bij malle Eppie.'

'Dat *meen* je niet!'

Maarten ontploft weer en Bo kijkt Jasper kwaad aan. Nu begint het hele circus natuurlijk weer van voor af aan. Maar Jasper kan nu eenmaal niet liegen.

'Alleen een oude badjas, maar die hebben we meteen teruggebracht.'

'En verder? Wie hebben jullie nog meer geplunderd? Biecht het nu maar allemaal op.'

'Verder niks,' zegt Jasper.

'Erewoord?'

Jasper aarzelt.

'Erewoord?' herhaalt Maarten.

En dan vertelt Jasper toch maar van die negentig cent.

Als hij klaar is, blijft het stil. Maarten zit met z'n handen in z'n haar en de anderen staren maar zo'n beetje voor zich uit.

'Ik weet het goed gemaakt,' zegt Maarten. 'Jullie gaan straks je excuses aanbieden bij malle Eppie. En vanzelfsprekend gaan jullie het geld teruggeven.'

Oeps. Als Jasper ergens een hekel aan heeft, is het wel excuses aanbieden. Op school moet het ook wel eens, als je iemand een klap hebt verkocht of zo. En een keer toen hij in de pauze een tennisbal tegen het hoofd van een kind uit groep drie had gegooid. Jasper deed het helemaal niet expres, maar toch moest hij van de pleinwacht 'sorry' gaan zeggen tegen dat jochie.

'En dat is nog niet alles. Voor straf gaan jullie vanmiddag de hele tuin aanharken. Alle bladeren in de container. In ruil daarvoor krijgen jullie twee euro per persoon. En weet je wat we daarmee doen?'

'Ja,' zegt Bo. 'Dat gaat naar de arme kinderen in Iran.'

'Inderdaad,' zegt Maarten verbaasd. 'Hoe wist je dat?'

'Ik kan gedachten lezen,' zegt Bo. 'Vooral als ze zo voorspelbaar zijn.'

Het excuses maken viel mee. Bo heeft het hele verhaal weer verteld en toen ze klaar was, mochten ze het geld gewoon houden. En omdat malle Eppie het zo dapper

vond dat ze het kwamen opbiechten, heeft hij er nog tien euro bij gedaan.

Daarna hebben ze de tuin aangeharkt, dat was nog eens acht euro, dus bij elkaar zit er nu al tweeëntwintig euro vijfenzestig in het potje. Dat is al genoeg voor één pakket van het Rode Kruis.

Inmiddels is Jordi naar huis. Marjolein is terug van haar werk en voor de derde keer hebben ze de hele geschiedenis uit de doeken gedaan. Marjolein was ook wel boos, maar lang niet zo kwaad als Maarten.

Ze vertellen nu ook van de overvallen in het bos en van Jaspers indianengehuil. Daar moet Marjolein erg om lachen.

'Sorry hoor, Jasper,' zegt ze tussen twee lachbuien door. 'Maar ik zie het helemaal voor me.'

Bij het toetje doet Maarten ineens weer geheimzinnig. Handen vouwen, keel schrapen.

'Eigenlijk hebben jullie het niet verdiend,' begint hij. 'Maar Marjolein en ik hadden nog een plan bedacht.'

'Laat maar,' zegt Bo. 'Weten we al. Jullie gaan trouwen.'

'Dat misschien ook,' zegt Maarten. 'Maar dat duurt nog wel even.'

'Wat dan?' vraagt Bo verbaasd.

'We dachten erover om Kerstmis niet in Nederland te vieren, maar met z'n vijven naar de zon te gaan. Een weekje naar de Canarische eilanden.'

'Yes!' gilt Bo.

'Maar dan moeten we toch vliegen?' zegt Jasper.

'Dat wel,' zegt Maarten.

'Yes!' gilt Jasper.

'Maar daar hou je toch niet van,' zegt Bo. 'Dat is toch slecht voor het gat in de ozonlaag?'

'Ach,' zegt Marjolein, 'daar vliegen we dan wel omheen.'

'Waar ga je heen, Jasper?' roept Maarten.

Maar Jasper is al in de keuken. Hij *moet* Jordi even vertellen dat ze gaan vliegen.

Het geheim van Chris Bos

Bijna alles in dit boek is verzonnen. Behalve de truc met de armbandjes, die heb ik zelf meegemaakt. Wij deden het alleen niet bij de juwelier, mar bij de kantoorboekhandel. En dus niet met sieraden, maar met pennen en potloden.

Misschien was het een idee van Wim Wegenwijs, of van Bart Klarenbeek, of misschien ook wel van mijzelf.

Waarom we het deden weet ik niet meer. En ook niet waarom het bij die ene keer bleef. In ieder geval niet omdat we gesnapt werden. Misschien omdat we thuis al genoeg potloden hadden. Of omdat na die keer duidelijk was dat we alle drie evenveel durfden. Of omdat we er spijt van kregen, maar dat kan ik me eerlijk gezegd niet herinneren.

Nog één ander ding is trouwens ook niet verzonnen: het Bachbosje. Dat bestaat echt. Ga maar kijken, in Bilthoven.

p.s. Denk je dat het bovenstaande verzonnen is, of niet?